Holland

bloemenland

Holland

bloemenland

Herman van Amsterdam

© 1994 R & B, Lisse
Tekst: Herman van Amsterdam
Redaktie: Textcase, Groningen
Vertaling Frans: Anne Marie Chardon
             Duits: Jan Polman
           Engels: Caroline Visser
Vormgeving: Ton Wienbelt, Den Haag

ISBN 9039600686

NL

Het is voorjaar in Holland. De grijze winterse wolkenluchten zijn verdreven. De vele tientallen miljoenen bloembollen die maanden geleden zijn geplant, beginnen tot leven te komen en zullen weldra het landschap uitbundig gaan kleuren. Bollenland ontwaakt.

De foto's in dit boek nemen u mee naar die kleurrijke streken waar elke maand opnieuw een fascinerende gedaantewisseling plaatsvindt, die van over de hele wereld bewonderaars trekt. Zij willen getuige zijn van het wonder van de in bloei staande bloembollenvelden. Een spektakel van kleuren en geuren, beginnend in maart en eindigend laat in mei.

De meeste foto's zijn genomen in de bollenstreek, het gebied tussen de historische steden Haarlem en Leiden, waar vele eeuwen geleden de teelt is ontstaan en waar in de lente de bollenvelden nog steeds het landschap overheersen. Daarnaast heeft de teelt van bloembollen ook vaste voet gekregen in de provincie Noord-Holland, de Noordoostpolder, op het winderige waddeneiland Texel, in een groot deel van Zeeland en staan er zelfs velden in bloei in de zuidelijke provincie Limburg.

Het gebied waar de bloembol zich het langst thuis voelt, de bollenstreek, kan bogen op een roemrucht verleden. Want wat nu in de lente een oogstrelend bloemenparadijs is, was vroeger een uitgestrekte wildernis met ruige bossen en verraderlijke moerassen. Voor stropers en dievenbendes was het een geliefkoosde omgeving, omdat ze zich er prima schuil konden houden. De postkoets

F

C'est le printemps en Hollande. Les ciels gris nuageux de l'hiver sont balayés. Plantées il y a des mois, des dizaines de millions de bulbes à fleurs commencent à s'éclore et ne tarderont pas à revêtir le paysage de mille couleurs. La zone de culture des fleurs à bulbe s'éveille.

Les photos dans ce livre vous emmènent vers ces régions hautes en couleurs où s'opère, tous les mois à nouveau, une fascinante métamorphose attirant des admirateurs de par le monde entier qui veulent tous être témoins du prodige des champs en fleurs. Spectacle en couleurs et en parfums qui débute en mars et se termine fin mai.

La plupart des photos ont été prises dans la "Bollenstreek ", zone de culture des fleurs à bulbe, située entre les villes historiques de Haarlem et de Leyde. C'est là que cette culture prit son origine de nombreux siècles passés, et où les champs de fleurs dominent de nos jours encore le paysage au printemps. En outre, la culture de bulbes à fleurs s'est implantée dans les provinces de la Hollande du Nord, le polder du Nord-Est, l'île des Wadden, Texel, une grande partie de la Zélande et même dans la province méridionale du Limbourg.

La zone où l'oignon à fleurs se plaît le plus longtemps, la région bulbicole, peut se vanter d'un passé glorieux. Car ce qui est à présent un paradis fleuri, véritable régal pour les yeux au printemps, était autrefois une étendue inculte couverte de forêts denses et de traîtres marais. Cachette idéale et pour ce, cadre de prédilection pour les braconniers et les bandes de voleurs. La diligence parcou-

D

Es ist Frühjahr in Holland. Der graue winterliche Wolkenhimmel ist verschwunden. Die vielen Dutzende von Millionen Blumenzwiebeln, die vor einigen Monaten gepflanzt wurden, beleben sich wieder und werden bald die Landschaft mit Farben füllen. Das Land der Blumenzwiebeln erwacht. Die Bilder in diesem Buch führen Sie hinaus in die farbenfrohe Landschaft, in der jeden Monat von neuem eine fesselnde Verwandlung stattfindet, die Bewunderer aus aller Welt anzieht. Sie wollen Zeugen des Wunders der blühenden Felder mit Blumenzwiebeln sein. Ein tolles Schauspiel an Farben und Düften, das im März anfängt und spät im Mai endet.

Die meisten Aufnahmen wurden in der "Bollenstreek" gemacht, dem Gebiet zwischen den historischen Städten Haarlem und Leiden, wo schon vor vielen Jahrhunderten das Züchten von Blumenzwiebeln entstand und wo im Frühjahr die Blumenzwiebelfelder die Landschaft immer noch prägen. Nebenher hat diese Zucht sich auch auf in der Provinz Noord-Holland, den Noordoostpolder, die windige Watteninsel Texel und auf einen großen Teil von Zeeland ausgedehnt und es gibt sogar blühende Felder in der südlichen Provinz Limburg. Das Gebiet, in dem die Blumenzwiebel am längsten einheimisch ist, die "Bollenstreek", kann sich einer berühmten Vergangenheit rühmen, denn was heute im Frühling ein phantastisches Blumenparadies ist, war früher eine ausgedehnte Wildnis mit unwirtlichen Wäldern und verräterischen Sümpfen. Für Wilddiebe und Diebesbanden eine beliebte Gegend, weil

GB

It is spring in Holland. The grey winter skies have been driven out. The many tens of millions of bulbs that were planted months ago are starting to come alive and will soon lend profuse colour to the landscape. Bulb country is awakening.

The photographs in this book will take you to these colourful regions, where a fascinating metamorphosis takes place each month that attracts admirers from all over the world.

They wish to witness the wonder of blooming bulb fields. A spectacle of colours and smells, starting in March and ending late in May.

Most photographs were taken in the Bollenstreek (Bulb Region), the region between the historical towns of Haarlem and Leiden where the cultivation was begun many centuries ago and where the bulb fields still dominate the countryside in spring. In addition, the bulb cultivation has also gained a firm footing on the mainland of the province of Noord-Holland, the Noordoostpolder, the windy West Frisian Island of Texel, a great part of Zeeland and there are even blooming bulb fields in the southern province of Limburg.

The area in which the bulb feels most at home, the Bollenstreek, boasts a renowned past. For what is now a flower paradise, delightful to the eye in spring, used to be a vast wilderness with wild forests and treacherous bogs. A cherished environment for poachers and gangs of thieves, because there they could hide themselves well. There, the stage coach drove around on narrow unmetalled roads and the population consisted

reed er rond over smalle, onverharde wegen en de bevolking bestond toen nog hoofdzakelijk uit boeren, die met veeteelt de kost verdienden.

De bloembol zou in Holland wellicht nooit zo'n belangrijk visitekaartje zijn geworden als niet in de zestiende eeuw de uit Wenen afkomstige plantenkenner Carolus Clusius vanwege een geloofsconflict was gedwongen de stad aan de Donau te ontvluchten. Deze vermaarde tuinbouwdeskundige reisde spoorslags af naar Holland en vestigde zich daar in de universiteitsstad Leiden. In zijn bagage zaten ook de tulpebollen die hij cadeau had gekregen van een adellijke vriend uit Turkije, het land waar de tulp oorspronkelijk vandaan komt. In Leiden is destijds dus de basis gelegd voor de Hollandse bloembollenteelt, die inmiddels zo'n vier eeuwen oud is. Van alle bloembollensoorten is de tulp van oudsher de lieveling van het publiek. Aanvankelijk was dit bolgewas een uiterst luxe produkt, omdat er maar een kleine hoeveelheid van was. Mede dat feit maakte de tulp erg gewild, vooral bij de zeer rijken. Eeuwen terug werden er zulke exorbitante prijzen voor geboden dat alleen de meest gefortuneerden zich een of meerdere tulpen konden veroorloven.

Halverwege de zeventiende eeuw bijvoorbeeld kwam het voor dat voor slechts één exemplaar een bedrag van 5000 gulden werd neergeteld. Uit die periode is zelfs een handelstransactie bekend waarbij één tulp van eigenaar verwisselde voor acht moddervette varkens, twee ladingen graan, 5000 liter wijn, 1500 kilo boter en ook nog eens 500 kilo kaas. Dit soort uitwassen, geen uitzondering

rait la région par des chemins de terre étroits et la population se composait alors essentiellement de paysans vivant de l'élevage.

Le bulbe ne serait peut-être jamais devenu en Hollande une image de marque aussi importante si, au seizième siècle, Carolus Clusius, botaniste originaire de Vienne, n'avait pas été forcé de fuir cette ville sur le Danube à cause d'un conflit religieux. Cet illustre horticulteur partit en toute hâte pour la Hollande pour s'établir dans la ville universitaire de Leyde. Dans ses bagages se trouvaient les bulbes de tulipe que lui avait offerts un ami aristocrate de Turquie, pays d'origine de la tulipe.

C'est à Leyde que furent établies à l'époque les bases de la bulbiculture hollandaise, il y a maintenant à peu près quatre cents ans. De toutes les variétés de bulbes, la tulipe est depuis longtemps la préférée du public. A l'origine, cette plante bulbeuse était un produit extrêmement luxueux de par sa rareté, et pour ce très demandé, surtout parmi les très riches. Il y a des siècles, les prix offerts pour la tulipe étaient tellement excessifs que seuls les plus fortunés pouvaient se permettre l'achat d'un ou de plusieurs exemplaires.

Vers la moitié du dix-septième siècle, par exemple, il arrivait qu'une somme de 5000 florins fût déboursée pour une seule tulipe. C'est de la même époque que date un troc par lequel une tulipe changea de propriétaire contre huit porcs bien gras, deux cargaisons de blé, 5000 litres de vin, 1500 kilos de beurre et 500 kilos de fromage. Ce genre d'excès, courant à cette époque-là, est devenu connu sous le nom de "tulpomanie".

man sich da ausgezeichnet verstecken konnte. Die Postkutsche fuhr herum auf schmalen, unbefestigten Straßen und die Bevölkerung setzte sich hauptsächlich noch aus Bauern zusammen, die sich von Viehzucht ernährten.

Die Blumenzwiebel wäre für Holland vielleicht nie so eine wichtige Visitenkarte geworden, wenn nicht im 16. Jahrhundert der aus Wien stammende Pflanzenexperte Carolus Clusius sich wegen eines religiösen Konfliktes gezwungen sah, die Stadt an der Blauen Donau zu verlassen. Dieser berühmte Gartenbau-Experte fuhr spornstreichs nach Holland und ließ sich da in der Universitätsstadt Leiden nieder. In seinem Reisegepäck befanden sich auch die Blumenzwiebeln, die ihm ein adliger Freund aus der Türkei, dem Land woher die Tulpe ursprünglich stammt, geschenkt hatte. In Leiden wurden also damals die Grundlagen für die niederländische Blumenzwiebelzucht geschaffen, die jetzt schon etwa vier Jahrhunderte alt ist. Von allen Zwiebelsorten ist die Tulpe von alters her der Liebling des Publikums. Anfänglich war diese Zwiebelgattung ein Luxusprodukt, weil es nur eine kleine Anzahl gab. Auch durch diese Tatsache war die Tulpe sehr gefragt, besonders bei den sehr Reichen. Vor vielen Jahrhunderten wurden dafür dermaßen horrende Preise geboten, daß sich nur die Betuchtesten eine oder mehrere Tulpen leisten konnten. Mitte des 17. Jahrhunderts zum Beispiel wurde für nur ein einzelnes Exemplar eine Summe von 5000 Gulden be-zahlt. Aus dieser Periode ist sogar ein Geschäft bekannt, wobei eine Tulpe den Eigentümer wechselte für: acht fette Schweine, zwei

mainly of farmers who provided for themselves by cattle breeding.

Perhaps the bulb would never have become such an important showpiece in Holland if, in the sixteenth century, the botanist Carolus Clusius from Vienna had not been forced to leave the city on the Blue Danube owing to a religious conflict.

This famous horticulturalist rushed off to Holland and settled in the university town of Leiden.

In his luggage there were also the tulip bulbs that had been presented to him by an aristocratic friend from Turkey, the country where the tulip originates. Thus, at that time, the foundation of the Dutch bulb cultivation, that by now is about four centuries old, was laid in Leiden. Of all the bulb varieties the tulip has always been the public's favourite. At first, these bulbous plants were an extremely luxurious product because there were only a small number of them. Also due to this, the tulip was very popular, especially with the very rich.

Centuries ago, such extravagant prices were bid that only the most wealthy could afford one or more tulips. Halfway through the seventeenth century, for instance, it happened that a sum of 5,000 guilders was paid for only one specimen. From that time, there is even a business transaction known in which one tulip changed hands for: eight fat pigs, two loads of grain, 5,000 litres of wine, 1,500 kilos of butter and on top of that, 500 kilos of cheese.

These kind of excesses, no exceptions in that century, have become known as "tulipomania".

For a long time, the bulb was

in die eeuw, is bekend geworden als "tulpomanie".
Lange tijd is de bloembol in Holland ook in zwang geweest als geneeskrachtig gewas. Daar was vooral sprake van in de achttiende eeuw, toen veel apothekers en geneesheren het sap of de vermalen bestanddelen van bloembollen aanprezen vanwege de heilzame werking. De hyacint bijvoorbeeld had de bijnaam Schrik der Arabieren. Het sap ervan, gemengd met witte wijn, werd verkocht als middel tegen spit. Dit drankje ging tevens baardgroei tegen. Ook over het gebruik van de tulp doen vele verhalen de ronde. Zo was het een gewoonte aan het hof van de Franse zonnekoning Louis XIV (koning van 1643 tot 1715) dat de dames uit de betere kringen hun decolleté met peperdure tulpen versierden in plaats van het dragen van een exclusief collier met edelstenen.
De tulp heeft dus rijkdom maar ook armoede gebracht. Want toen in 1673 de windhandel in dit kleurrijke produkt kelderde, gingen duizenden speculanten bankroet. Dat alles nam niet weg dat de tulp tot de verbeelding bleef spreken en na al die eeuwen is uitgegroeid tot een over de hele wereld geliefde bolbloem en dat de bollenstreek nog steeds als een van de toonaangevende teeltgebieden geldt.
Afhankelijk van het soort waartoe ze behoren, gaan de bloembollen in de maanden augustus, september en oktober de grond in, om daar op een diepte variërend van ongeveer vijf tot vijftien centimeter een paar maanden te blijven.
Dat planten gebeurde vroeger met de hand. Elke bol werd keurig op zijn plaats gezet, regel voor regel. Speciaal

Pendant longtemps, le bulbe a été à la mode en Hollande en tant que plante médicinale, surtout au dix-huitième siècle lorsque de nombreux apothicaires et médecins vantaient, pour leurs bienfaits, le suc extrait des oignons à fleurs ou leurs éléments pilés.
La jacinthe portait par exemple le surnom Terreur des Arabes. Son suc, mélangé à du vin blanc, était vendu comme remède contre le lumbago. Cette potion combattait également la croissance de poils sur le visage. De nombreuses histoires circulent aussi sur l'utilisation de la tulipe. Ainsi était-ce l'habitude à la cour du Roi-Soleil Louis XIV, régnant de 1643 à 1715, que les dames de la haute société garnissent leurs décolletés de tulipes ayant coûté les yeux de la tête au lieu de porter un collier de pierres précieuses exclusif. La tulipe a apporté richesse et pauvreté. Car, lorsqu'en 1673 la spéculation sur ce produit haut en couleur s'effondra, des milliers de spéculateurs firent banqueroute. Ce qui n'empêcha pas que la tulipe continue à frapper l'imagination et, qu'après de nombreux siècles, elle soit devenue, à travers le monde entier, une fleur à bulbe prisée dont l'une des zones de culture par excellence est toujours la région bulbicole.
Selon l'espèce, les bulbes sont mis en terre en août, septembre et octobre pour y demeurer quelques mois à une profondeur variant d'environ cinq à quinze centimètres.
Cette plantation se faisait autrefois à la main. Un par un, et ligne par ligne, les bulbes étaient mis en place avec précision. Mais grâce aux machines spécialement conçues pour la bulbiculture,

Ladungen Getreide, 5000 Liter Wein, 1500 Kilo Butter und auch noch 500 Kilo Käse. Solche Auswüchse, keine Ausnahmen in diesem Jahrhundert, sind unter dem Namen "Tulpomanie" bekannt geworden. Lange Zeit wurde die Blumenzwiebel in Holland auch als Heilpflanze angewandt. Das war vor allem im 18. Jahrhundert der Fall, als viele Apotheker und Ärzte den Saft oder die gemahlenen Teile der Blumenzwiebeln wegen ihrer Heilwirkung empfohlen. Die Hyazinthe zum Beispiel hatte den Ehrennamen "Schrecken der Araber". Dessen Saft, mit Weißwein gemischt, wurde als Mittel gegen Hexenschuß feilgeboten und auch verhinderte dieses Getränk den Bartwuchs. Auch kursieren über die Anwendung der Tulpe viele Geschichten. So soll es am Hofe des französischen Sonnenkönigs Ludwigs des Vierzehnten (er war König von 1643 bis 1715) die Gewohnheit gewesen sein, daß die Damen aus den besseren Kreisen ihr Dekolleté mit sündhaft teuren Tulpen schmückten, statt daß sie ein exklusives Kollier mit Edelsteinen getragen hätten. Die Tulpe hat aber nicht nur Reichtum, sondern auch Armut gebracht. Denn als 1673 das Spekulationsgeschäft mit diesem farbenfrohen Produkt zusammenbrach, machten Tausende von Spekulanten Pleite. Trotzdem erregte die Tulpe nach wie vor die Phantasie und entwickelte sich nach so vielen Jahrhunderten zur beliebtesten Blumenzwiebel der Welt, wobei die "Bollenstreek" immer noch eines der führenden Zuchtgebiete ist. Je nach der Sorte werden die Blumenzwiebeln in den Monaten August, September und Oktober gepflanzt, damit sie in einer zwischen fünf und

also in vogue as a medicinal plant in Holland. Especially in the eighteenth century when many pharmacists and doctors praised the juice or the ground components of the plant for its salutary effect. For instance, the hyacinth was nicknamed "Terror of the Arabs". Its juice, diluted with white wine, was sold as a remedy for lumbago and this mixture also repressed growth of beard. There are many stories about the use of the tulip as well. In this way, at the court of the French Sun King Louis the Fourteenth (king from 1643 till 1715) it was usual for the upper-class ladies to adorn their necklines with high-priced tulips instead of with exclusive jewelled necklaces. Not surprisingly, the tulip has brought both riches and poverty. Because, when the speculation in this colourful product plummeted in 1673, thousands of speculators went bankrupt. All this did not stop the tulip from appealing to the imagination and, after all those centuries, becoming a beloved bulb all over the world with the Bollenstreek as one of its most important cultivation areas. Depending on the variety, the bulbs are planted in August, September, and October at a depth that varies from about five to fifteen centimetres to stay in the ground for several months. Planting the bulbs used to be done manually. Each separate bulb was neatly placed in the ground, line after line. However, machines that have been designed specially for bulb cultivation have made this handiwork become a thing of the past. After the bulbs have been planted, a cold-resistant layer of straw sees to it that the frost cannot damage them in the winter months.

voor de bollenteelt ontwor-
pen machines hebben zulk
handwerk echter zo goed als
verleden tijd gemaakt.
Als de bloembollen eenmaal
zijn geplant, zorgt een kou
werende laag stro er in de
wintermaanden voor dat de
vorst geen schade kan aan-
richten.
Zodra de lente voor de deur
staat, is het tijd om dat win-
terdek te verwijderen. Dan is
de groei trouwens al op gang
gekomen en steken de bloemen in wording hun ranke lij-
ven al schuchter door de
aardkost. In de daaropvol-
gende weken zet de groei
door en komen ze tot volle
wasdom. Wanneer ze precies
in volle bloei zullen staan, is
nauwelijks te voorspellen. Dat
is elk jaar weer afwachten en
hangt nauw samen met de
weersgesteldheid in de wintermaanden. Een stenge kou
vertraagt de bloei. Zijn
december en januari mild van
temperatuur, dan is de kans
op een versnelde groei groot.
Maar helemaal zeker weten de
kwekers het nooit. Moeder
natuur is en blijft grillig.
Onder normale omstandigheden echter –een niet al te
strenge winter, geen over-
vloed aan regen en andere
nattigheid– begint zo halverwege maart de bollenstreek
kleur te krijgen. Er is een
vaste volgorde van 'opkomst'.
Eerst de krokussen (geen
hoofd-, maar bijsoort in de
bloembollenteelt). De gele
exemplaren komen eerst, vervolgens de paarse en witte en
ten slotte de diverse soorten
in lila tinten. Intussen kondi-
gen de eerste (overwegend
geelkleurige) narcissensoor-
ten zich aan en tegelijkertijd
laten de hyacinten zich zien.
In het begin van de bloei zijn
de hyacinten nog iel en bijna
flets van kleur. Maar er zijn
slechts een paar warme
dagen voor nodig om deze

le travail manuel appartient
pratiquement au passé.
Une fois plantés, les oignons
à fleurs sont protégés contre
les dégâts que pourrait cau-
ser le gel durant les mois
d'hiver par une couche de
paille anti-froid.
Dès que le printemps s'an-
nonce, le moment est venu
d'ôter cette couche. Les bulbes commencent à s'éclore,
montrant les boutons de
fleurs qui percent timidement
la croûte terrestre de leurs
corps fragiles.
Dans les semaines qui sui-
vent, la floraison continue
pour aboutir finalement à un
épanouissement total.
Le moment de la pleine floraison, étroitement lié aux
conditions atmosphériques
pendant la période d'hiver,
est à peine prévisible. Il faut
donc voir chaque année.
Une vague de froid ralentit la
floraison. Si au contraire les
mois de décembre et de jan-
vier sont doux, il y a de grandes chances que la croissance
soit accélérée. Mais les bulbiculteurs n'en sont jamais tout
à fait certains. Mère nature
est capricieuse et le restera.
Et pourtant, dans des conditions normales - un hiver pas
trop rigoureux, sans pluies
abondantes ni d'autre humi-
dité - la région bulbicole
prend sa première teinte vers
la mi-mars dans un ordre fixe
de "floraison".
A commencer par les crocus
(pas la variété principale mais
secondaire en bulbiculture).
Les exemplaires jaunes en
tête, succédés par les violets,
les blancs et finalement les
différentes variétés de teinte
mauve. Entre-temps les pre-
mières variétés de narcisses,
essentiellement jaunes, s'an-
noncent déjà tandis que les
jacinthes commencent à
poindre.
Au début de leur floraison,
les jacinthes sont encore

fünfzehn cm schwankenden
Tiefe einige Monate im Boden
bleiben können.
Das Pflanzen wurde früher
von Hand gemacht. Jede
Zwiebel wurde Reihe nach
Reihe an ihren Platz ge-
bracht. Durch die eigens für
die Blumenzucht entworfenen
Maschinen gehört dieses
Handwerk aber fast der Vergangenheit an.
Nachdem die Blumenzwiebeln
einmal gepflanzt sind, hält in
den Wintermonaten eine
Strohschicht die Kälte fern,
so daß kein Frostschaden auf-
treten kann. Sobald das Frühjahr vor der Tür steht, ist es
Zeit den Winterschutz zu
entfernen. Dann hat übrigens
auch schon das Wachstum
angefangen und heben die
sich entwickelnden Blumen
schon ihre schlanken Körper
schüchtern über die Erde. In
den danach folgenden
Wochen wachsen die Pflanzen
weiter und erblühen ganz. Es
läßt sich kaum vorhersagen,
wann genau sie voll blühen.
Das ist jedes Jahr unter-
schiedlich und hängt eng mit
den Witterungsverhältnissen
in den Wintermonaten zusammen. Eine strenge Kälte ver-
langsamt die Blüte. Wenn der
Dezember und der Januar
mild sind, sind die Chancen
gut, daß die Pflanze schneller
wächst. Aber die Züchter sind
sich da nie ganz sicher. Lau-
nenhaft ist Mutter Natur
immer. Unter normalen Ver-
hältnissen jedoch - bei einem
nicht zu strengen Winter, und
ohne zuviel Regen und andere Feuchtigkeit - bekommt die
"Bollenstreek" etwa Mitte
März Farbe. Es besteht eine
feste Reihenfolge des Aufge-
hens. Zuerst die Krokusse
(kein Haupt-, sondern ein
Nebengewächs der Blumen-
zwiebelzucht). Allen voran
die gelben Exemplare und
dann die violetten, weißen
und zum Schluß die verschie-

As soon as spring declares
itself, the time has come to
remove that winter covering.
Anyway, by that time growth
has already started and the
flowers to be already shyly
start pushing their slender
bodies through earth's crust.
During the next few weeks
the growth continues until
they reach full stature. It can
hardly be predicted when
exactly they will come to full
bloom.
Each year, that remains to be
seen and is closely connected
with the weather in the winter months. Severe cold slows
down the bloom. If December
and January have mild tem-
peratures, there is a good
chance of accelerated growth.
But the floriculturists can
never be completely sure.
Mother nature remains fickle.
Nonetheless, in normal cir-
cumstances - a winter that is
not too severe, no overabun-
dance of rain and other wet-
ness - about halfway March
the Bollenstreek starts to
acquire colour. There is a
fixed 'order of appearance'.
First the crocuses (not a main
variety but a sub-variety in
bulb cultivation). The yellow
specimens at first and subse-
quently the purple, the white,
and lastly the several varieties of lavender tints. In the
meanwhile, the first (mostly
yellow) daffodil varieties
announce themselves and at
the same time the hyacinths
show themselves.
At the beginning of the
bloom, the hyacinths are sill
puny and their colour is
almost faded. But only a few
days are needed to transform
these flowers into robust
clusters of red, pink, white or
dark blue.
And as soon as the bulb fields
acquire their colour, the inte-
rest on the many small by-
roads that meander through
this region soon increases.

bloemen om te toveren in robuuste trossen in de kleuren rood, roze, wit of donkerblauw.

En zodra de bollenvelden hun kleur krijgen, neemt de belangstelling op de vele binnenweggetjes die zich door dit gebied slingeren al snel toe. Niet alleen vanwege wat er te zien valt. Het genieten geldt ook de geur van de diverse gewassen. Vooral de hyacinten verspreiden een vluchtige, zoete odeur, die als een onzichtbare wolk boven het bollenland hangt. Het wordt als heerlijk ontspannend ervaren om in alle rust die typische bloemenlucht op te snuiven en tegelijkertijd in bewondering het bonte kleurenpalet te aanschouwen.

Dat palet krijgt overigens steeds weer aanvulling. Want nadat de hyacinten in bloei hebben gestaan, is het de beurt aan de tulpen om de aandacht op te eisen en dan is, wat de kleurenvariaties betreft, het hek helemaal van de dam.

In een tijdsbestek van zo'n anderhalve maand komen er vele honderden soorten in bloei. Met korte en lange stelen, meerkleurig, klein van bloem of juist uitbundig geschapen, vroege bloeiers en late bloeiers. De talloze kleurschakeringen liggen tussen sneeuwwit en bijna zwart. Sommige kleuren zijn zo fel dat ze pijn aan de ogen gaan doen wanneer u er lang naar kijkt. Evenals de andere bolbloemsoorten staan de tulpen op het teeltland strak in het gelid, gegroepeerd in liniaalrechte bedden met een breedte van ongeveer een meter. De bedden zijn soms een paar honderd meter lang en van elkaar gescheiden door smalle looppaden. Het is inmiddels half mei als de langstelige Darwin-tulpen

ténues et pâles. Mais il suffit de quelques journées chaudes pour les métamorphoser en grappes robustes de différentes couleurs: rouge, rose, blanc ou bleu foncé. Et dès que les champs de fleurs prennent leur première teinte, l'intérêt qu'ils suscitent se fait de plus en plus vif sur les petites routes sinueuses qui traversent cette région. Non seulement à cause de tout ce qui se présente à la vue. Les parfums exhalés par les différentes plantes sont un régal pour le nez.

Surtout les jacinthes répandent une odeur volatile, douce qui flotte comme un nuage invisible au-dessus du pays des bulbes. Respirer en toute quiétude ce parfum typique des fleurs tout en admirant cette profusion de couleurs délasse délicieusement. Cette palette est d'ailleurs sans cesse complémentée. Car après la floraison des jacinthes, c'est le tour aux tulipes de retenir l'attention, succédées par un véritable déluge de teintes les plus diverses.

En l'espace d'un mois et demi environ fleurissent plusieurs centaines de variétés. A tiges courtes et longues, polychromes, à petite fleur ou au contraire exubérante, à floraison précoce ou tardive.

Leurs multiples nuances varient entre le blanc neige et le quasi noir.

Certaines couleurs sont tellement vives qu'elles font mal aux yeux lorsqu'on les regarde longtemps. Tout comme les autres variétés de bulbes, les tulipes, bien alignées sur le champ de culture, sont grou-pées sur des parcelles qui semblent tracées à la règle, larges d'environ un mètre, longues de plusieurs centaines de mètres parfois et que des passages étroits séparent les unes des autres.

denen Sorten in lila Tönen. Inzwischen kündigen sich schon die ersten (hauptsächlich gelben) Narzißsorten an und zur gleichen Zeit zeigen sich die Hyazinthen.

Am Anfang der Blüte sind die Hyazinthen noch unscheinbar und haben eine fahle Farbe. Aber es bedarf nur einiger warmer Tage, damit sich diese Blumen in robuste Blütentrauben in den Farben Rot, Rosa, Weiß oder Dunkelblau verwandeln.

Und sobald die Felder mit Blumenzwiebeln ihre Farbe bekommen haben, nimmt das Interesse auf den vielen Feldwegen, die sich durch das Gebiet schlängeln, zu. Nicht nur, weil es vieles zu sehen gibt. Man genießt auch gerne den Duft der verschiedenen Gewächse. Besonders die Hyazinthen verbreiten einen flüchtigen, süßlichen Duft, der wie eine unsichtbare Wolke über dem Gebiet der Blumenzwiebeln hängt. Man erfährt es als Erholung, wenn man in aller Ruhe jenen typischen Blumenduft einatmet und gleichzeitig in Bewunderung die bunte Farbskala beobachtet.

Diese Skala wird übrigens immer wieder ergänzt. Denn nach dem Verblühen der Hyazinthen dürfen die Tulpen die Aufmerksamkeit auf sich ziehen und dann gibt es, was die Farbkombinationen anbelangt, kein Halten mehr.

Innerhalb von etwa eineinhalb Monaten fangen viele Hunderte Sorten zu blühen an. Mit kurzen und langen Stengeln, mehrfarbig, kleinblütig oder gerade großblütig, früh und spät blühend. Die zahllosen Farbschattierungen reichen von Schnee-weiß bis hin zu fast Schwarz. Manche Farben sind dermaßen grell, daß die Augen zu schmerzen anfangen, wenn man sie zu lange

Not only for the sights. The smell of the different plants is also an enjoyable experience. Especially the hyacinths give off a transient sweet smell, that hangs above the bulb fields like an invisible cloud.

It is felt to be deliciously restful to be able to quietly sniff that typical flower smell and to behold the colourful display at the same time. For that matter, the display of colour is continuously supplemented. For, after the hyacinths have bloomed, it is the tulip's turn to claim attention, and then there is no stopping it when it comes to colours.

Within the space of about one and a half months, many hundreds of varieties start blooming. With short stems and long stems, multicolored, small-flowered or excessively shaped, early flowering and late flowering. The myriad hues lie between snow-white and almost black. Some colours are so bright that they hurt the eyes when you look at them for long.

Just like the other bulbs, the tulips stand on the cultivation land in serried ranks, grouped in ruler straight beds that have a breadth of approximately one metre. Sometimes they are several hundreds of metres long and separated by narrow passages.

By now, it is halfway through May when the long-stemmed Darwin tulips conclude the boisterous feast of colours. Slowly, the fairy tale is ending. In the meanwhile, in the Bollenstreek the internationally famous flower parade has taken place, watched by hundreds of thousands, a parade of floats that show the products of the bulb land in a very special way.

The first flower parade dates

en late narcissoorten het onstuimige kleurenfestival afsluiten. Het sprookje loopt langzamerhand weer ten einde. Ondertussen heeft in de bollenstreek het internationaal bekende bloemencorso plaatsgevonden, een door honderdduizenden mensen gadegeslagen optocht van praalwagens die de produkten van het bollenland op een heel bijzondere manier in beeld brengen.

Het eerste corso dateert van 1948 en sindsdien is er nooit een jaar overgeslagen, hoe slecht de weersomstandigheden soms ook waren.

De praalwagens die in dit lentecorso meerijden, bestaan uit een onderbouw van tractoren waarover een door smeden vervaardigd karkas van gevlochten ijzer is gebouwd. Daar overheen is stro aangebracht en op dat "ondertapijt" worden met veel toewijding miljoenen bloemen gestoken, aangevuld met bloemstukken en decoraties van zijde.

Vergezeld door muziek- en dansgroepen trekt de stoet praalwagens, waarin duizenden uren werk zijn gaan zitten, door de streek en volgt een ongeveer veertig kilometer lange route tussen beginpunt Haarlem en het eindstation, de badplaats Noordwijk aan Zee.

Het corso heeft elk jaar een ander thema. Een bekend sprookje bijvoorbeeld of titels als Lenteparade, Fantasie en werkelijkheid, of simpelweg Mooi Nederland. Op de praalwagens zitten, in romantische kledij, de schonen van de streek. Het doel van deze gratis toegankelijke lentehappening is het publiek op een heel bijzondere manier kennis te laten maken met de kleuren en geuren van het Hollandse bollenland.

Overigens zijn het niet alleen

Et puis c'est la mi-mai lorsque la tulipe Darwin à longue tige et les variétés de narcisses tardives clôturent cette orgie éblouissante de couleurs.

Le conte de fées touche lentement à sa fin. Entre-temps le corso fleuri de renommée internationale, qui attire des centaines de milliers de spectateurs, a eu lieu dans la région des oignons à fleurs. C'est un cortège de chars fleuris présentant d'une façon très originale les produits bulbicoles.

Le premier corso remonte à 1948 et depuis il ne s'est plus passé une seule année sans que cet événement ne soit organisé, quelles que soient les intempéries. Les chars du corso qui sera tenu cette année au printemps sont constitués de tracteurs surmontés d'une carcasse, treillis en fer confectionné par des forgerons, recouverte d'une couche de paille en guise de thibaude où ont été piqués avec soin des millions de fleurs, le tout complété par des compositions florales et des étoffes de soie décoratives. Accompagné de groupes de musique et de danse, le cortège, qui représente des milliers d'heures de travail, traverse la région en suivant un parcours d'environ quarante kilomètres entre le point de départ Haarlem et le point d'arrivée, la station balnéaire Noordwijk aan Zee. Tous les ans, le corso a un autre thème, par exemple un conte de fées connu. Il porte des titres tels que Parade printanière, Fantaisie et réalité, ou tout simplement: Pays-Bas, beau pays. Sur les chars trônent les beautés du pays en costumes romantiques. Cette manifestation printanière, dont l'entrée est gratuite, a pour but de donner au public l'occasion de faire la connaissance des

anschaut. Wie die anderen Blumenzwiebelsorten auch stehen die Tulpen im Feld in strengen Reihen, in schnurgerade Beete gruppiert, die etwa einen Meter breit sind. Manchmal sind diese einige hundert Meter lang und werden durch schmale Wege voneinander getrennt.

Es ist mittlerweile Mitte Mai, als die langstengligen Darwintulpen und späten Narzißsorten ihr tolles Festival der Farben abschließen. Das Märchen geht allmählich wieder zu Ende. Inzwischen hat in der "Bollenstreek" der international bekannte Blumenkorso stattgefunden, ein von Hunderttausenden besuchter Aufzug von Prunkwagen, die die Produkte des Blumenzwiebelgebietes auf eine besondere Weise ins Bild rücken. Der erste Korso fand 1948 statt und wurde seitdem jedes Jahr veranstaltet, wie schlecht das Wetter manchmal auch war. Die Prunkwagen, die in diesem Frühjahrskorso mitfahren, bestehen aus Traktoren, die ein vom Schmied angefertigtes Gerüst aus geflochtenem Draht tragen. Darauf hat man Stroh angebracht und auf dieser Unterlage werden mit größter Sorgfalt Millionen von Blumen gesteckt, mit Blumenarrangements und dekorativen Stoffen aus Seide ergänzt. Unter Begleitung von Musik- und Tanzgruppen zieht der Prunkwagenzug, worauf man Tausende von Arbeitsstunden verwendet hat, durch die Gegend und legt eine etwa vierzig Kilometer lange Strecke zwischen dem Ausgangspunkt Haarlem und der Endstation, dem Badeort Noordwijk aan Zee, zurück. Der Korso hat jedes Jahr ein anderes Thema. Etwa ein bekanntes Märchen oder Titel wie Frühjahrsparade, Phantasie und Wirklichkeit, oder schlicht: Schönes

from 1948 and has never skipped a year, however bad the weather conditions sometimes were. The floats that participate in this flower parade consist of a substructure of tractors on which a structure of forged wire netting has been built. On top of that, straw is placed and very carefully, millions of flowers are inserted in that "underlay", supplemented by flower arrangements and decorative silk materials.

Accompanied by musical groups and dancers, the procession of floats, in which thousands of hours of work are invested, proceeds through the region and follows a route that is about forty kilometres long, between the starting point Haarlem and the final destination, the seaside resort Noordwijk aan Zee.

Each year the flower parade has a different theme. A well-known fairy tale for instance, or titles like spring Parade, Fantasy and Reality, or simply: Beautiful Holland. The beauties of the region sit on the floats, dressed in romantic clothing. The objective of this freely accessible spring happening is to acquaint the public with the colours and smells of the Dutch bulb countryside in a very unique way.

Anyway, it is not only the blooming bulb fields that make the Dutch spring so attractive to foreign tourists and regional day trippers. In the field of tourism there is much more to be experienced than just that. Take for instance the Bollenstreek, where most villages boast an illustrious past of which the trace can still be seen in many places. For example, traces of the Romans who built their settlements there in the beginning of our era.

de in bloei staande bollenvelden die de Hollandse lente zo aantrekkelijk maken voor buitenlandse toeristen en dagjesmensen uit eigen land. Op toeristisch gebied is er meer te beleven dan alleen dat. Neem bijvoorbeeld de bollenstreek, waar de meeste dorpen kunnen bogen op een roemrucht verleden, waarvan de sporen nog op vele plaatsen zijn terug te vinden. Bijvoorbeeld van de Romeinen die er in het begin van de jaartelling nederzettingen bouwden. Ook de gevreesde Noormannen –blonde haren, blauwe ogen en voor de duivel niet bang– hielden er veldslagen. En veel later, in de Middeleeuwen, was de streek zeer geliefd bij de edelen, van wie er velen in de bollenstreek een landhuis of kasteel lieten bouwen. Daar zijn nog heel wat voorbeelden van terug te vinden, zoals het prachtig gerestaureerde Huys te Dever in Lisse, dat rond 1370 is gebouwd. In Voorhout herinneren de goed geconserveerde restanten van het slot Teylingen (gebouwd rond 1270) nog aan een ver verleden, toen er van bloembollenteelt nog geen sprake was en grote jachtpartijen werden georganiseerd in dit toen nog woeste kustgebied.

Bewaard gebleven zijn ook talloze herenhuizen en landgoederen, zoals de Keukenhof, ooit de kruidentuin van de gravin van Holland, Jacoba van Beieren.

Vlak na de Tweede Wereldoorlog vond op die locatie een knap staaltje van landschapsarchitectuur plaats en werd een tuin aangelegd die wereldfaam heeft verworven en nu elk voorjaar zo'n miljoen bezoekers trekt. In de Keukenhof, ook wel de mooiste lentetuin van Europa genoemd, zijn radio's taboe.

parfums et des couleurs propres à la région bulbicole de Hollande d'une façon spéciale. D'ailleurs, ce ne sont pas uniquement les champs en fleurs qui attirent au printemps les touristes étrangers et les gens qui font une excursion d'un jour dans leur propre pays. Dans le domaine touristique, il y a bien plus à voir. Prenez par exemple les villages dans cette même région qui peuvent pour la plupart se vanter d'un passé glorieux dont la trace se retrouve encore à différents endroits. Notamment celle des Romains qui y créèrent des établissements au début de notre ère. Les Normands, hommes redoutés aux cheveux blonds, aux yeux bleus et pour le moins audacieux, y livrèrent eux aussi bataille. Et bien plus tard, au moyen âge, la région fut très prisée par les nobles qui y firent construire en grand nombre une résidence ou un château dont il subsiste encore de beaux exemples tels que le Huys te Dever à Lisse, magnifiquement restauré, qui date d'environ 1370.

A Voorhout, les ruines bien conservées du château de Teylingen, construit vers 1270, rappellent un passé lointain où il n'était pas encore question de bulbiculture et où, zone côtière encore sauvage à l'époque, de grandes parties de chasse étaient organisées.

Nombreux sont aussi les hôtels particuliers et les propriétés qui ont subsisté, tels que Keukenhof, jadis le jardin à herbes médicinales de la comtesse de Hollande, Jacqueline de Bavière. Juste après la dernière guerre mondiale, c'est dans ce site que fut aménagé un parc, bel exemple d'architecture paysagiste, célèbre dans le monde

Holland. Auf den Prunkwagen sitzen in romantischer Kleidung die schönen Mädchen der Gegend. Der Zweck dieser umsonst zu besuchenden Frühjahrsveranstaltung ist es, das Publikum auf eine sehr besondere Weise mit den Farben und Düften der niederländischen Blumenzwiebelfelder bekannt zu machen. Übrigens sind es nicht nur die blühenden Felder, die das Frühjahr in Holland für ausländische Touristen und Tagesausflügler aus eigenem Land attraktiv machen. Auf touristischem Gebiet gibt es mehr zu erleben als nur das. Etwa die "Bollenstreek", wo die meisten Dörfer sich einer weitberühmten Vergangenheit rühmen können, deren Spuren noch an vielen Stellen zu erkennen sind. Zum Beispiel die Spuren der Römer, die am Anfang der Zeitrechnung hier Niederlassungen gebaut haben. Auch die gefürchteten Normannen - blonde Haare, blaue Augen und ganz ohne Furcht - haben da Schlachten veranstaltet. Und viel später, im Mittelalter, war die Gegend bei Adligen sehr beliebt, von denen viele in der "Bollenstreek" einen Landsitz oder ein Schloß bauen ließen. Davon gibt es noch viele Beispiele, wie das herrlich restaurierte Huys te Dever in Lisse, das um 1370 herum erbaut wurde.

In Voorhout erinnern die gut erhaltenen Reste des Schlosses Teylingen (erbaut um 1270 herum) noch an eine weit entfernte Vergangenheit, als von Blumenzwiebelzucht noch keine Rede war und große Jagden in diesem damals noch öden Küstengebiet veranstaltet wurden.

Auch zahllose herrschaftliche Häuser und Landsitze sind erhalten geblieben, wie der "Keukenhof", einmal der

Also the dreaded Vikings - blond hair, blue eyes and not afraid of anything - fought battles there.

And much later, in the Middle Ages, the region was very popular with the aristocracy of whom many caused stately homes or castles to be built in the Bollenstreek. Many examples of those houses still stand, such as the beautiful restored Huys te Dever in Lisse that was built around 1370.

In Voorhout, the well-conserved remnants of castle Teylingen (built circa 1270) recall a far past, when there was no bulb cultivation yet and large hunting parties were organized in this still wild coastal area.

Many mansions and country estates have also been spared, such as the Keukenhof, which was once the kitchen garden of the countess of Holland, Jacoba van Beieren. Just after the Second World War, a masterly example of landscaping architecture took place at that location and a garden was planned that achieved worldwide renown and now draws about a million visitors each spring. In the Keukenhof, which is also called the most beautiful spring garden of Europe, radios are forbidden. This rule has been introduced so that visitors can peacefully enjoy the exceptional things that nature offers here. And that is very much. In the Keukenhof, the visitors are presented with the cream of the crop in the area of flower bulbs. Each year, circa six million specimens are planted that are made available by about a hundred Dutch bulb exporters and bulb growers. Circa 90% of the varieties that bloom in the Keukenhof can also be ordered by the consumer.

Die regel is ingesteld om bezoekers ongestoord te kunnen laten genieten van het speciale dat de natuur hier te bieden heeft. En dat is erg veel. In de Keukenhof krijgen bezoekers het neusje van de zalm op het gebied van bloembollen voorgeschoteld. Jaarlijks gaan er daar zo'n slordige zes miljoen exemplaren de grond in en die zijn beschikbaar gesteld door ongeveer honderd Hollandse bloembollenexporteurs- en kwekers. De soorten die in de Keukenhof in bloei staan, zijn voor zo'n negentig procent ook te koop voor de consument.

In de lente genieten van de in bloei staande bollenvelden kan op tal van manieren. Fietsend langs de uitgestrekte velden, rijdend in een auto over een van de vele doorgangswegen, als wandelaar, ontspannen zittend achter het raam in de touringcar, peddelend door sloten of tijdens een rondvlucht.
Het aantal mogelijkheden is legio.
Om u een indruk te geven van hoe de bollenstreek er van bovenaf uitziet, is speciaal voor dit boek een aantal luchtopnamen gemaakt.
De piloot heeft gewacht op dagen waarop de hemel vrijwel wolkeloos was en het zicht voor de fotograaf helder genoeg om fraaie overzichtopnamen te maken.
Hun geduld werd zwaar op de proef gesteld, want dit soort omstandigheden doen zich in het voorjaar in Holland maar sporadisch voor. Wat u ziet zijn dan ook unieke opnamen. De kleurvlakken vormen prachtige lappendekens, temidden van stukjes dorpsbebouwing, sloten en kanalen. Een aantal foto's laat goed de relatie zien tussen Noordzee, duinen en bloembollenvelden.

entier, qui attire actuellement environ un million de visiteurs chaque printemps.
A Keukenhof, appelé aussi le plus beau jardin printanier d'Europe, les transistors sont tabous. Cette règle a été instaurée pour permettre aux visiteurs d'apprécier en toute tranquillité ce que la nature a de spécial à offrir ici. Et c'est beaucoup. Keukenhof présente à ses visiteurs ce qu'il y a de plus exquis dans le domaine des bulbes à fleurs.
Chaque année, à peu près six millions de bulbes à fleurs, mis à disposition par une centaine d'exportateurs et de producteurs hollandais, sont mis en terre. Environ quatre-vingt-dix pour cent des variétés qu'on trouve à Keukenhof peuvent être livrées au consommateur.

Au printemps, on peut apprécier les champs de fleurs de différents manières. A bicyclette le long des vastes champs, en voiture sur l'une des nombreuses routes, à pied, assis relax derrière la vitre d'un car de tourisme, dans une barque sur les petits canaux d'irrigation ou par avion. Les possibilités sont innombrables.
Pour vous donner une idée de l'aspect sous lequel se présente la région des bulbes d'en haut, un certain nombre de vues aériennes ont été prises spécialement pour ce livre. Le pilote a attendu que le ciel soit pratiquement sans nuages et que la vue soit suffisamment claire pour que le photographe puisse faire de belles photos d'ensemble.
Leur patience fut durement mise à l'épreuve car ce genre de conditions propices à la photographie ne se présentent que rarement au printemps en Hollande.
Ces prises de vue sont donc uniques. Les languettes multicolores forment de magnifi-

Kräutergarten der Gräfin von Holland, Jakoba von Bayern. Kurz nach dem Zweiten Weltkrieg haben Landschaftsarchitekten eine gekonnte Arbeit geleistet und wurde ein inzwischen weltberühmter Garten angelegt, der jedes Frühjahr etwa eine Million Besucher lockt. Im Keukenhof, auch wohl den schönsten Frühlingsgarten Europas genannt, sind Radios tabu. Diese Regel wurde eingeführt, damit die Besucher ungestört die Besonderheiten, die die Natur hier bietet, genießen können. Und da gibt es vieles zu genießen. Im Keukenhof bekommen die Besucher das Beste im Bereich der Blumenzwiebeln vorgeführt. Jährlich werden da etwa sechs Millionen Exemplare eingepflanzt, die von etwa hundert niederländischen Blumenzwiebelexporteuren und -Züchtern zur Verfügung gestellt wurden. Die im Keukenhof blühenden Sorten sind zu neunzig Prozent auch im Handel zu erhalten. Man kann im Frühjahr die blühenden Felder mit Blumenzwiebeln auf verschiedene Weisen genießen. Per Fahrrad an den ausgedehnten Feldern entlang, im Auto über eine der vielen Straßen, zu Fuß, ruhig sitzend am Fenster eines Reisebusses, paddelnd im Wasser oder auf einem Rundflug. Es gibt da sehr viele Möglichkeiten. Damit Sie einen Eindruck davon bekommen, wie die "Bollenstreek" von oben aussieht, wurden eigens für dieses Buch einige Luftaufnahmen gemacht. Der Pilot hat auf Tage gewartet, an denen der Himmel fast wolkenlos war und die Sicht heiter genug, damit der Fotograf schöne Übersichtsfotos machen konnte. Ihre Geduld wurde schwer erprobt, denn solche günstigen Verhältnisse zum Fotografieren sind in Holland im Frühjahr selten.

Enjoying the blooming bulb fields in spring can be done in many ways. Cycling along the extensive fields, driving a car through one of the many small roads that lead through the region, as a pedestrian, sitting relaxed behind the window of a motor coach, paddling through ditches or during a round trip by plane. The possibilities are innumerable.
In order to give you an impression of what the Bollenstreek looks like from above, several aerial photographs were taken especially for this book.
The pilot had waited for days on which the sky was almost cloudless and the view was clear enough for the photographer to take fine general views. Their patience was sorely tried, for these kind of weather conditions seldom occur in spring in Holland. Consequently, what you see are unique photographs. The areas of colour form lovely patchwork quilts in the midst of small village areas, ditches and canals. Several photographs show the relationship between the North Sea, the dunes and the bulb fields well.
So as to be able to make a comparison with the (colourless) Bollenstreek in wintertime, a plane with a photographer aboard also took off in that period. The ditches and canals are frozen and the bulbs in the ground are covered with a warm pack of straw.
The cultivation of bulbs has not any more been a purely Dutch occupation for ages. Many bulb growers are active in America (they even have the largest bulb field in the world] and England, which also applies to Spain, Italy, Portugal and Greece, among others. Japan even has 2,500

Om een vergelijking te kunnen trekken met de (kleurloze) bollenstreek in wintertijd, steeg ook in die periode een vliegtuigje op met een fotograaf aan boord. De sloten en kanalen zijn bevroren en de bloembollen in de grond zijn afgedekt met een warm pak stro.

De teelt van bloembollen is allang niet meer een puur Hollandse aangelegenheid. In Amerika (waar zelfs het grootste bollenveld ter wereld ligt) en Engeland zijn vele bloembollenkwekers actief en dat geldt ook voor onder meer Spanje, Italië, Portugal en Griekenland. Japan telt zelfs 2500 kwekerijen; de meeste daarvan zijn opgezet naar Hollands voorbeeld. Nederland heeft een naam hoog te houden op het gebied van bloembollen. Hier komt veel know-how vandaan, worden speciale machines ontwikkeld die zoetjesaan het handwerk overbodig maken. In het hart van de bollenstreek staat bovendien een wereldvermaard laboratorium, waar al vele decennia lang kennis wordt vergaard over onder meer bloembol lenziekten. Die kennis vindt haar weg naar alle landen waar de bloembol wordt geteeld.

Maar nergens anders leveren de in bloei staande velden zo'n fantastisch schouwspel op als in dat pittoreske gebied vlak achter de Hollandse duinen.

ques mosaïques, éparpillées entre les villages et les canaux.

Un certain nombre de photos montre bien la relation entre la mer du Nord, les dunes et les champs de fleurs. Pour pouvoir faire la comparaison avec la région bulbicole (grise) en hiver, un petit avion a décollé dans cette période avec à son bord un photographe. Les canaux, petits et grands, sont gelés et les bulbes en terre sont recouverts d'une couche de paille épaisse.

Depuis longtemps déjà, la culture de la bulbe à fleurs n'est plus une affaire exclusivement hollandaise.

Nombreux sont les bulbiculteurs aux Etats-Unis, où se trouve le plus grand champ de fleurs du monde, en Angleterre, mais aussi en Espagne, Italie, Portugal et Grèce, pour ne citer que quelques pays. Le Japon compte même 2500 entreprises dont la plupart sont montées d'après le modèle hollandais. Les Pays-Bas ont une réputation à soutenir dans le domaine des bulbes à fleurs. Nous exportons beaucoup de savoir-faire, développons des machines spéciales qui rendent petit à petit le travail manuel superflu. Au coeur de la région bulbicole, se trouve en outre un laboratoire de renommée mondiale où, depuis des décennies, on acquiert des connaissances sur, entre autres, les maladies propres aux bulbes. Ce savoir trouve sa voie vers tous les pays de culture de l'oignon à fleurs.

Mais nulle part ailleurs la floraison des champs de fleurs offre un spectacle aussi merveilleux que dans cette région pittoresque, juste derrière les dunes.

Was Sie sehen, sind denn auch einzigartige Aufnahmen. Die Farbflächen bilden einen herrlichen Flickenteppich inmitten der Dorfshäuser, Gräben und Kanäle. Einige Aufnahmen zeigen den Zusammenhang zwischen Nordsee, Dünen und Feldern mit Blumenzwiebeln sehr gut. Um einen Vergleich mit der (farblosen) "Bollenstreek" im Winter machen zu können, stieg auch in dieser Periode ein Flugzeug mit einem Fotografen an Bord auf. Die Gräben und Kanäle sind zugefroren und die Blumenzwiebeln im Boden sind mit einer angenehmen Strohschicht zugedeckt. Die Blumenzwiebelzucht ist schon längst nicht mehr eine rein niederländische Angelegenheit. In Amerika (da befindet sich das größte Feld der Erde) und England gibt es viele Blumenzwiebelzüchter und das gilt auch für u.a. Spanien, Italien, Portugal und Griechenland. Japan hat sogar 2500 Gärtnereien und die meisten sind nach niederländischem Vorbild organisiert. Die Niederlande haben einen ausgezeichneten Ruf auf dem Gebiet der Blumenzwiebeln. Es gibt ein großes Know-how, und es werden spezielle Maschinen entwickelt, wodurch Handarbeit allmählich überflüssig wird. Im Herzen der "Bollenstreek" befindet sich außerdem ein weltberühmtes Labor, in dem schon seit vielen Jahrzehnten Kenntnisse von u.a. Blumenzwiebelkrankheiten gewonnen werden. Diese Kenntnisse werden von allen Ländern, in denen die Blumenzwiebel gezüchtet wird, angewandt.

Aber nirgendwo sonst bieten die blühenden Felder ein so herrliches Schauspiel wie in diesem malerischen Gebiet, genau hinter den holländischen Dünen.

nursery gardens and most of them are set up according to Dutch example.

Holland has to live up to its reputation in the field of bulbs. Much of the know-how comes from here, and special machines are developed here that are gradually making manual work unnecessary. In addition, there is a world famous laboratory in the heart of the Bollenstreek that, among other things, has been compiling knowledge of bulb diseases for decades. This knowledge finds its way to all countries that cultivate bulbs.

But nowhere else do the blooming fields produce such a fantastic sight as in that picturesque region, right behind the Dutch dunes.

Tulpen zijn er in zo'n achthonderd kleurschakeringen. Daarom varieert het palet van de bollenvelden oneindig. Mede onder invloed van de mode kleuren de velden elk jaar weer verrassend anders.

Les tulipes existent en quelque huit cents teintes, ce qui fait varier la palette des champs de fleurs varie à l'infini. Sous l'influence de la mode entre autres, les champs prennent chaque année de nouvelles couleurs inattendues.

Tulpen gibt es in etwa achthundert Farbschattierungen.
Darum gibt es so große Unterschiede in der Farbskala der Felder mit Blumenzwiebeln. Auch beeinflußt durch die Mode, weisen die Felder überraschenderweise jedes Jahr wieder andere Farben auf.

Tulips come in about eight hun-dred hues. *That is why the palette of the bulb fields varies endlessly. Also under the influence of fashion, the fields show surprisingly different colours each year.

Sloten en kanalen doorsnijden het bollenland. Ze zorgen voor een goede waterhuishouding en worden ook nog wel gebruikt voor het vervoer van bloembollen.

Des canaux, grands et petits, traversent la région bulbicole.
Ils assurent un bon bilan hydrique et servent en outre au transport d'oignons à fleurs.

Gräben und Kanäle durchschneiden das Land der Blumenzwiebeln. Sie gewährleisten einen guten Wasserhaushalt und werden zudem für den Transport der Blumenzwiebeln gebraucht.

The bulb fields are criss-crossed with ditches and canals. They provide a good water balance and are also still used for the transportation of bulbs.

De bollenvelden liggen er uitnodigend bij. Er zijn tal van mogelijkheden om van dichtbij te genieten van geur en kleur.

Les champs de fleurs vous attendent. Nombreuses sont les possibilités d'apprécier de près leurs couleurs et parfums.

Die Felder mit Blumenzwiebeln laden zu einem Besuch ein. Es gibt zahllose Möglichkeiten, den Duft und die Farben hautnah zu genießen.

The bulb fields look inviting. There are many ways to enjoy the colours and the smells at close quarters.

Veel Hollandse bloembollenvelden liggen op historische gronden, zoals hier rond het slot van Teylingen in Voorhout, een waterburcht uit de 13e eeuw. Deze foto is in wintertijd gemaakt.

Beaucoup de champs de fleurs hollandais occupent des terres historiques, comme ici à Voorhout, autour du château de Teylingen, entouré d'eau, qui date du 13e siècle. Cette photo a été prise en hiver.

Viele niederländische Felder mit Blumenzwiebeln liegen auf historischem Boden, wie etwa hier um die Ruine van Teylingen in Voorhout herum, eine Wasserburg aus dem 13. Jahrhundert. Dieses Bild wurde im Winter gemacht.

Many Dutch bulb fields lie on historical grounds, such as this one around the Ruin of Teylingen in Voorhout, a water castle from the 13th century. This photograph was made in winter.

Strak in het gelid en soms honderden meters lang, strekken de bollenvelden zich uit over het vlakke Hollandse land.

Rectilignes et parfois longs de
plusieurs centaines de mètres, les
champs de fleurs s'étendent dans le
plat pays hollandais.

Streng eingereiht und manchmal
Hunderte von Metern lang, dehnen
sich die Felder über das flache hol-
ländische Land aus.

In serried ranks and sometimes
hundreds of metres long, the bulb
fields stretch out over the flat Dutch
countryside.

Ambachtelijke arbeid in een tulpen-
veld dat vlak achter de duinen ligt.
Geknield de bloemkop van de stengel snijden. Dit 'onthoofden'
gebeurt ook machinaal.

Travail artisanal dans un champ de
tulipes adossé aux dunes. Couper à
genoux la fleur de la tige.
Cet "étêtement" se fait aussi méca-
niquement.

Das Handwerk auf einem Tulpenfeld
genau hinter den Dünen. Auf den
Knien die Blume vom Stengel entfernen. Dieses "Köpfen" erfolgt auch
maschinell.

Traditional work in a bulb field that
lies directly behind the dunes.
Cutting the flower heads off the
stems whilst kneeling.
This 'beheading' is also done
mechanically.

Er is geen bloem op deze wereld die
zo tot de verbeelding spreekt als de
tulp. In Holland, ook wel het land
van de tulp genoemd, bloeit ze al
vier eeuwen.

Aucune fleur au monde ne frappe
autant l'imagination que la tulipe.
En Hollande, appelée aussi le pays
de la tulipe, elle fleurit depuis
maintenant quatre siècles.

Es gibt keine Blume in der Welt, die
die Phantasie so anregt wie die
Tulpe.
In den Niederlanden, auch wohl das
Land der Tulpe genannt, blüht sie
schon seit vier Jahrhunderten.

There is not one flower that appeals
to one's imagination as much as the
tulip. In Holland, also called the
Land of the tulip, it has already
been blooming for four centuries.

Na de bloeitijd is het 'eindstation' van de tulp vaak de afvalberg. De velden worden met zorg van hun uitbundige kleuren ontdaan en vervolgens is het groen van de stengels en bladeren enige tijd de overheersende kleur.

Après leur floraison, les tulipes finissent souvent sur la décharge. Les champs soigneusement dépouillés de leurs riches couleurs, le vert des tiges et des feuilles est pendant quelque temps la couleur dominante.

Nach der Blüte ist die "Endstation" der Tulpe oft der Müllhaufen. Die Felder werden sorgfältig ihrer üppigen Farben entledigt und dann ist das Grün der Stengel und Blätter die vorherrschende Farbe.

After blooming the 'final destination' of the tulip is often the garbage heap. The fields are carefully freed of their vivid colours and then the green of the stems and the leaves is the ruling colour for some time.

Het rood en geel van de uitgestrekte tulpenvelden mengt zich op een bij-zondere manier in de omgeving van Lisse, het dorp in het hart van de bollenstreek.

Aux environs de Lisse, village au coeur de la région des bulbes à fleurs, le rouge et le jaune des vas-tes champs de tulipes se mélangent de façon particulière.

Das Rot und Gelb der ausgedehnten Tulpenfelder vermischen sich auf eine besondere Weise mit der Umge-bung von Lisse, dem Dorf im Herzen der "Bollenstreek".

The red and yellow of the extensive tulip fields is uniquely mixed with the environment of Lisse, the village in the heart of the bulb region.

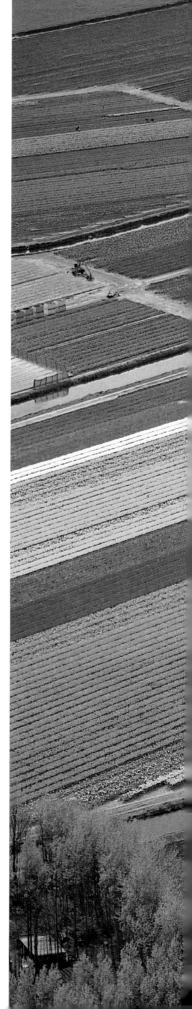

In het seizoen is er volop bedrijvigheid in en rond de velden. Zoals de verkoop van bloemen en een voortdurende controle van de gezondheid van al wat bloeit en groeit.

Pendant la saison, il y a beaucoup d'animation autour et sur les champs, telle la vente des fleurs et le contrôle phytosanitaire permanent.

Während der Saison gibt es eine große Geschäftigkeit an und auf den Feldern. Wie etwa das Verkaufen der Blumen und die fortwährende Kontrolle der Gesundheit aller Pflanzen.

There is plenty of activity in and around the fields. Such as the sale of flowers and a continuous checking of the health of everything that blooms.

Veel bollenvelden fungeren ogen-
schijnlijk als 'voortuin' bij woningen
en bedrijven, omdat de bebouwing
vaak direct aansluit op het teeltland. Mede dat maakt wonen in de
bollenstreek voor velen aantrekkelijk.

Un grand nombre de champs de
fleurs font apparemment fonction
de "jardins" devant les maisons et
les exploitations collées comme
elles le sont aux parcelles.
Ce qui constitue aussi, pour de
nombreuses personnes, le charme
d'habiter dans la région des bulbes.

Viele Felder mit Blumenzwiebeln
dienen augenscheinlich als "Vor-
garten" von Häusern und Betrieben,
weil die Bebauung sich oft an die
Felder anschließt.
Auch dadurch ist das Wohnen in der
"Bollenstreek" für viele sehr
attraktiv.

Many bulb fields seem to function
as 'front gardens' with houses and
businesses because the buildings
often connect directly with the cultivation. That is one of the things
that make living in the bulb region
so attractive to many.

Enkele impressies van de Keukenhof in Lisse. Jaarlijks vergapen bijna een miljoen bezoekers zich aan de bloemen-
pracht in deze mooiste lentetuin van Europa.

*Quelques impressions de Keukenhof à Lisse. Chaque année, presqu'un million de visiteurs se pâment d'admiration
devant la profusion de fleurs dans le plus beau jardin printanier de l'Europe.*

*Einige Impressionen vom Keukenhof in Lisse. Jährlich bestaunen fast eine Million Besucher die Blumenfülle in diesem
schönsten Frühlingsgarten Europas.*

*Several impressions of the Keukenhof in Lisse. Each year, almost a million visitors gaze in admiration at the magnifi-
cent flower spectacle in the most beautiful spring garden of Europe.*

Menig kunstschilder raakte geïnspireerd door de bijzondere uitstraling van een landschap met zoveel opvallende kleuren.

Plus d'un peintre a été inspiré par le rayonnement particulier d'un paysage si remarquablement coloré.

Mancher Kunstmaler wurde von der besonderen Ausstrahlung dieser Landschaft mit so vielen auffallenden Farben inspiriert.

Many artists are inspired by the unusual magic of a landscape with so many striking colours.

De nationale luchthaven Schiphol
ligt op een steenworp afstand van
de bloembollenstreek.
In de lente zien arriverende en ver-
trekkende passagiers vanuit de lucht
een fascinerend schouwspel onder
zich.

L'aéroport national Schiphol se
trouve à un jet de pierre de la
région des champs de fleurs.
Au printemps, les passagers qui
atterrissent et qui décollent ont l'occasion de jouir du spectacle fasci-
nant qui se déroule sous eux.

Der größte Flughafen der Niederlande Schiphol liegt in nächster Nähe
der Blumenzwiebelgegend. Im Frühjahr können die abfliegenden und
landenden Fluggäste aus der Luft
ein faszinierendes Schauspiel unter
sich erleben.

The national airport of Schiphol lies
within a stone's throw of the bulb
region.
In spring, arriving and departing
passengers see a fascinating scene
beneath them from the air.

Meestal op de laatste zaterdag van april rijdt tussen Haarlem en Noordwijk het beroemde corso van de bloembollenstreek, een door honderdduizenden gadegeslagen parade van kunstig vervaardigde praalwagens.

En général le dernier samedi d'avril est le jour du fameux corso fleuri sur la route entre Haarlem et la station balnéaire Noordwijk. Une parade de chars ingénieusement construits qu'admirent des centaines de milliers de personnes.

Zwischen Haarlem und dem Badeort Noordwijk fährt meistens am letzten Samstag im April der berühmte Korso der
"Bollenstreek". Ein von Hunderttausenden beobachteter Aufzug von kunstvoll geschmückten Prunkwagen.

The famous flower parade of the bulb region is mostly held on the last Saturday of April between Haarlem and the
seaside resort Noordwijk. A parade of skilfully made floats, viewed by hundreds of thousands people.

De Hollandse bollen en bloemen vinden hun weg naar zo'n slordige honderd landen, met als belangrijkste afnemer West-Duitsland, gevolgd door Amerika en Italië. De hoeveelheid teeltgronden neemt nog steeds toe en beslaat nu naar schatting 18.000 hectare, terwijl het aantal kwekers vanwege de schaalvergroting drastisch is afgenomen: in dertig jaar tijd van 13.000 naar ruim 3.000.

Wie aan bloembollen denkt, denkt in eerste instantie aan de tulp, en dit bolgewas is inderdaad favoriet bij het publiek. Ongeveer dertig procent van de Hollandse export betreft de tulp en daarna volgen de gladiool, de lelie, de narcis, de hyacint, de iris, de krokus en de dahlia.

De Hollandse bollenvelden trekken jaarlijks vele miljoenen bezoekers en onder hen bevindt zich menig kunstenaar. Het schilderen van dit unieke lentelandschap is erg in zwang en elk jaar trekt menigeen er met de schildersezel op uit. Het waren niet de eersten de besten die hier neerstreken om zich door de natuur te laten inspireren. De vermaarde Franse impressionist Claude Monet bijvoorbeeld reisde eind april 1886 naar de bollenvelden en maakte in twaalf dagen tijd vijf schitterende schilderijen. Hij schreef vrienden dat hij verrrukt was van de bollenvelden en hun intense kleuren. Monet vond dit landschap met zijn strakke kleurvlakken een uitdaging om te schilderen.

Les bulbes et les fleurs sont acheminés vers une centaine de pays, l'Allemagne fédérale étant le principal acheteur, suivie par les Etats-Unis et l'Italie. La surface cultivée de plantes bulbeuses continue à s'étendre et couvre actuellement 18 000 hectares d'après les estimations alors que le nombre de producteurs a fortement baissé, de 13 000 à un peu plus de 3 000 en trente ans, du fait de la concentration des structures.

Qui pense à des bulbes à fleurs, pense en premier lieu à la tulipe. Cette plante bulbeuse est en effet la favorite du public. Environ trente pour cent de l'exportation hollandaise concerne la tulipe, succédée par le glaïeul, le lis, la narcisse, la jacinthe, l'iris, le crocus et le dahlia.

Les champs de fleurs attirent annuellement plusieurs millions de visiteurs dont beaucoup de peintres. Peindre ce paysage printanier unique en son genre est très à la mode. A chaque nouvelle saison, nombreux sont ceux qui parcourent la région munis d'un chevalet. Ce ne sont pas les peintres les moins connus qui s'installèrent ici pour se laisser inspirer par la nature. Le célèbre impressionniste Claude Monet par exemple partit fin avril 1886 pour les champs de fleurs et réalisa en douze jours cinq tableaux magnifiques. Il écrivit à ses amis que les champs de fleurs et leurs couleurs intenses l'émerveillaient. Pour Monet, ce paysage aux surfaces de couleur bien délimitées était un défi.

Die niederländischen Blumenzwiebeln werden in etwa hundert Länder exportiert, der größte Abnehmer ist Deutschland, dann folgen Amerika und Italien. Die Flächengröße nimmt immer noch zu und umfaßt heute schätzungsweise 18.000 Hektar, während die Zahl der Züchter wegen der Vergrößerung der Betriebsflächen erheblich abgenommen hat. Innerhalb von dreißig Jahren von 13.000 auf etwas mehr als 3.000.

Wer an Blumenzwiebeln denkt, denkt in erster Linie an die Tulpe, und diese Zwiebelpflanze ist beim Publikum am beliebtesten. Etwa dreißig Prozent des niederländischen Exports betreffen die Tulpe und dann folgen die Gladiole, die Lilie, die Narzisse, die Hyazinthe, die Schwertlilie, der Krokus und die Dahlie.

Die niederländischen Felder mit Blumenzwiebeln locken alljährlich viele Millionen Besucher und darunter auch manchen Künstler. Das Malen dieser einzigartigen Frühlingslandschaft ist sehr in Mode und jede Saison von neuem begibt sich manch einer mit seiner Staffelei dahin. Es sind nicht irgendwelche beliebige Maler, die hierhin kamen um sich von der Natur inspirieren zu lassen. Der berühmte französische Impressionist Claude Monet zum Beispiel fuhr Ende April 1886 zu diesen Feldern und malte in zwölf Tagen fünf herrliche Bilder. Freunden schrieb er, daß er von den Feldern mit Blumenzwiebeln und ihren intensiven Farben entzückt sei. Monet betrachtete diese Landschaft mit ihren strengen Farbflächen als eine Herausforderung zum Malen.

The Dutch bulbs and flowers find their way to approximately a hundred countries, with West Germany as the most important buyer, followed by America and Italy. The number of nursery grounds is still increasing, and now already takes up an estimated 18,000 hectares, while in thirty years the number of growers has decreased drastically from 13,000 to somewhat more than 3,000.

Thinking of bulbs, you first think of tulips, and this bulbous plant is indeed the public's favourite. About thirty percent of the Dutch export concerns tulips after which the gladiolus, the lily, the narcissus, the hyacinth, the iris, the crocus and the dahlia follow.

Each year, the Dutch bulb fields attract many millions of visitors, among whom also many an artist. Painting this unique spring landscape is very popular and each new season many people go afield with their easels. It was not just anybody who descended on this region to be inspired by nature. The famous French impressionist Claude Monet, for instance, travelled to the bulb fields at the end of April 1886 and made five splendid paintings in twelve days. He wrote to friends about his delight with the bulb fields and their intense colours. Monet considered it a challenge to paint this landscape with its taut colour areas.

Fotoverantwoording:

De gebruikte foto's zijn afkomstig van:
Foto Aerocarto, Amsterdam
Foto Aerophoto, Amsterdam
Foto King Air, Bergen op Zoom
H.N.T. Koster, Keukenhof, Lisse
Foto B. v.d. Lans, Hillegom
Internationaal Bloembollencentrum, Hillegom
B. Ransijn, Sassenheim
P. v.d. Voort, Lisse
H. v. Amsterdam, Sassenheim
J. Hardenberg, Sassenheim
Arnoud Overbeeke, Amsterdam